Conception et réalisation :
Françoise Detay-Lanzmann

Dépôt légal : octobre 1994
ISSN : 1242-532X
Loi n° 49-956 du 16 juillet 1949
sur les publications destinées à la jeunesse

© 1994 Editions Mango
ISBN : 2 7404 0423-9

Françoise Detay-Lanzmann

LES MÉTIERS

Illustrations de Michaël Welply

MANGO

L'ENSEIGNANT

Le maître et la maîtresse ont choisi un des métiers
les plus beaux : apprendre aux enfants
à lire, à écrire, à compter, et leur faire découvrir
et comprendre le monde qui les entoure.

À l'école maternelle, il n'y a qu'une
seule maîtresse ou un seul maître
pour tout enseigner : la lecture,
l'écriture, la musique ou le sport.

Dans les plus grandes classes, il y a un
professeur spécialisé dans chaque matière
un professeur d'histoire, un professeur
de français, un professeur de sciences...

Le professeur de gymnastique organise, dans la cour de l'école ou au stade, de la course à pied, du saut en hauteur, un match de basket.

Un professeur peut emmener ses élèves faire des visites dans un musée, en classe de neige et même en voyage à l'étranger.

3

TOURNER UN FILM

Pour faire un film, il faut réunir beaucoup de gens qui font des métiers très différents. Le tournage du film dure plusieurs semaines et il est réalisé dans de nombreux décors.

Le scénariste invente et écrit l'histoire du film. Le metteur en scène met l'histoire en images, dirige les acteurs et réalise le film.

L'éclairagiste installe les lumières, le responsable du son enregistre les voix et les bruits, le cameraman règle la caméra.

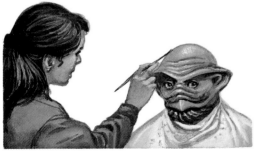

La maquilleuse, la costumière et la coiffeuse aident les acteurs à se préparer. C'est difficile d'être acteur. Il faut jouer la colère ou la tendresse, la tristesse ou la gaieté...

Lorsque le tournage est fini, le monteur assemble les meilleurs moments du film. Il ajoute le son et la musique choisie par le metteur en scène.

À BORD D'UN AVION

Ceux qui travaillent dans un avion passent la plupart de leur temps dans le ciel, au-dessus des nuages. Ils voyagent dans le monde entier. C'est très intéressant mais aussi très fatigant, et cela les oblige à être souvent loin de leur famille.

Le commandant de bord dirige l'avion. Il prépare le plan de vol, c'est-à-dire la route qu'il va suivre dans le ciel jusqu'au prochain *aéroport*.

Il est en contact permanent par sa radio avec les aiguilleurs du ciel, qui se trouvent dans la tour de contrôle. Ce sont eux qui le guident lors du décollage et de l'atterrissage.

Le copilote étudie la météo et vérifie
la quantité de carburant dont l'avion
a besoin. Le mécanicien surveille
les instruments pendant tout le vol.

Les hôtesses et les stewards servent
des boissons et des repas aux passa-
gers. Ils leurs donnent les écouteurs
pour écouter le film et la musique.

LE MÉDECIN

Le pédiatre suit l'enfant pendant toute sa croissance. À chaque visite, il pèse l'enfant et le mesure pour vérifier s'il se porte bien.

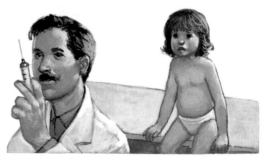

Le médecin vaccine les enfants ou les grandes personnes. Les vaccins nous protègent contre beaucoup de maladies.

Les médecins s'occupent de la santé des gens
et soignent les malades. Dans leur cabinet
ou à l'hôpital, les médecins sont toujours
disponibles. On peut les appeler
à tout moment pour une urgence.

Lorsqu'une femme va avoir
son bébé, elle part à l'hôpital.
L'accoucheur va l'aider à mettre
au monde son enfant.

Le chirurgien pratique des opérations. Il est aidé par des infirmières
et un médecin qui endort le malade
pour qu'il ne souffre pas.

LES POMPIERS

Les pompiers sont bien équipés. S'ils travaillent au milieu du feu, ils ont une combinaison spéciale et un masque relié à une bouteille d'air comprimé.

Les pompiers aident également les gens en cas d'*inondation* ou de tremblement de terre.

Les pompiers sont très courageux.
De jour comme de nuit, ils sont prêts
à porter secours aux gens. Dès qu'on
les appelle pour éteindre un feu, il leur
faut moins de deux minutes pour se
préparer. Dans chaque pays les pompiers
ont un uniforme différent.

Pour détruire un nid de guêpes
ou de frelons, ce sont aussi les
pompiers que l'on appelle.

Parfois l'incendie a lieu en pleine
mer. Les pompiers viennent alors
avec un bateau-pompe.

LE VÉTÉRINAIRE

Le vétérinaire est le médecin
des animaux. Il soigne aussi
bien les vaches que les moutons,
les chevaux, les chats,
les chiens, les oiseaux...

À la campagne, lorsqu'une vache ou
un cheval est malade, le vétérinaire
se rend sur place. Dans sa voiture, il a
des instruments et des médicaments.

Il peut aussi soigner les animaux
dans son cabinet. Il fait des analyses,
des radios et des opérations.

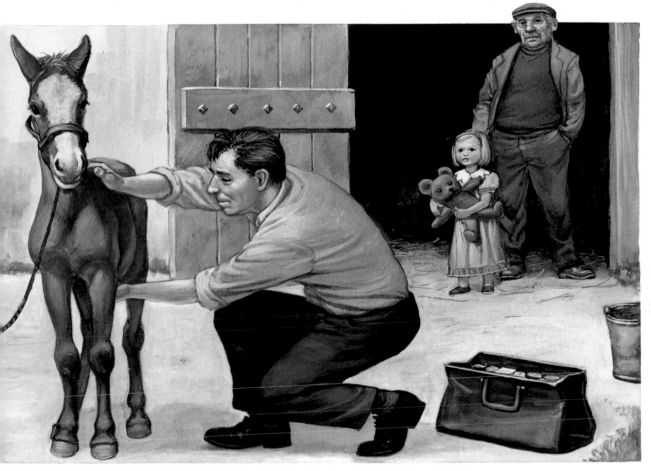

Pour opérer, il met une blouse et
des gants en plastique. Il se fait
aider par un assistant.

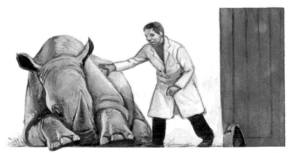

Certains vétérinaires soignent
des animaux de cirque ou de zoo.
Les animaux sauvages doivent être
endormis avant d'être soignés.

LA DANSEUSE

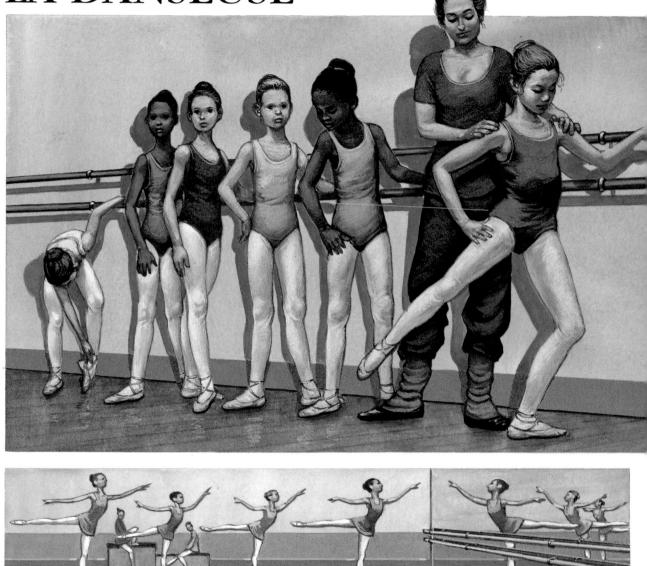

On peut commencer la danse dès six ans. Les premiers exercices se font à la barre pour faire travailler les *muscles* et s'assouplir.
Des centaines de fois, la danseuse recommence les mêmes gestes en se regardant dans la glace pour corriger son mouvement, redresser la tête, arrondir les bras...

Devenir un jour une grande danseuse

demande des années de travail quotidien.

La ballerine doit être gracieuse, avoir

de longs *muscles* et un bon sens musical

pour suivre le rythme de la musique.

Puis viennent les exercices au milieu :
des sauts, des pirouettes, des glissades,
des arabesques. La danseuse devra apprendre à bien suivre la musique en dansant.

Dans un ballet, il y a toujours
des danseurs. Un grand danseur doit
être souple et fort pour être capable
de porter la danseuse.

L'ASTRONAUTE

Voyager dans l'espace, partir pour la Lune, c'est le métier des astronautes. Pour sortir dans l'espace, les astronautes enfilent une épaisse combinaison. Ils portent un réservoir avec de l'air et une radio pour communiquer entre eux.

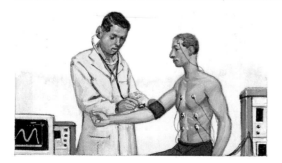

Pour être astronaute, il faut avoir une très bonne santé et beaucoup de connaissances scientifiques.

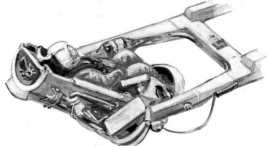

Le décollage d'une fusée est très dur à supporter. Pour y faire face, l'astronaute s'entraîne dans une machine qui tourne à toute vitesse.

Dans l'espace, l'astronaute doit être capable d'effectuer des réparations ou de réaliser des expériences.

À bord de leur engin spatial, les astronautes dorment dans un sac de couchage accroché à la paroi.

LE JOURNALISTE

Le journaliste nous informe de ce qui se passe dans le monde. Il peut travailler pour la radio, la télévision ou un journal. Le journaliste sportif commente les grandes compétitions comme un match de football.

Le journaliste reporter prend des photos ou réalise des films. Il fait un métier dangereux lorsqu'il va dans un pays en guerre.

À la télévision, le présentateur nous donne les informations de la journée et nous montre les images prises par le reporter.

Le journaliste prépare l'article
qui va paraître dans le journal.
Il le tape à la machine à écrire
ou à l'ordinateur.

Aujourd'hui, les nouvelles du monde
entier nous parviennent très
rapidement grâce aux satellites qui
transmettent les images et le son.

L'AGRICULTEUR

À l'approche de l'hiver, l'agriculteur rentre le bétail dans les étables.

Au printemps, il laboure la terre avant de semer les grains de blé ou de maïs. Il plante aussi les pommes de terre ou les betteraves.

Le métier d'agriculteur existe depuis toujours et partout dans le monde. Ce beau métier est assez pénible. Avoir une bonne *récolte* ne dépend pas seulement du travail de l'homme mais aussi du temps qu'il fait.

En été, pendant la saison de la *récolte*, les paysans travaillent dès le lever du jour et jusqu'au soir très tard pour que tout soit fini avant les orages.

L'agriculteur élève des poules, des porcs, des lapins ou des vaches dans de grands bâtiments.

L'ARTISAN

L'artisan crée de ses mains habiles
des objets. Certains artisans travaillent
le cuir, d'autres le bois ou le métal.
L'objet de l'artisan est comme
une peinture ou un dessin. Il est unique,
même s'il ressemble parfois à un autre.

Le menuisier travaille le bois sur
une table que l'on appelle un établi.
Il crée des meubles ou des objets
avec des outils spéciaux.

Le luthier fabrique des violons, des
guitares, des violoncelles. C'est de son
habileté et de son savoir que dépend
le son de l'instrument de musique.

Avec une canne, des pinces, son souffle et une grande expérience, le maître verrier est capable de donner à la pâte de verre la forme d'un vase, d'un verre ou d'une carafe.

Le bijoutier dessine une forme et *façonne* des bijoux. Il utilise l'or ou l'argent et des pierres précieuses comme l'émeraude ou le diamant.

LE MARIN PÊCHEUR

Quand le moment lui paraît bon, le marin jette un grand filet, le chalut, à la mer.
Au bout de quelques heures, il hisse le chalut à bord et déverse les poissons.
Lorsqu'il a pêché suffisamment de poissons, le marin rentre au port.

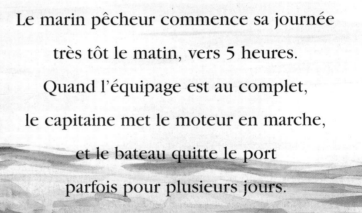

Le marin pêcheur commence sa journée

très tôt le matin, vers 5 heures.

Quand l'équipage est au complet,

le capitaine met le moteur en marche,

et le bateau quitte le port

parfois pour plusieurs jours.

Revenu au port, le marin doit
décharger le poisson puis nettoyer
le bateau et ses filets.

Les poissons sont vendus chaque
matin vers 6 heures. Les poissonniers
des villes voisines viennent acheter
la pêche des différents marins.

LEXIQUE

Aéroport

C'est le lieu où décollent
et atterrissent les avions.
C'est aussi là où ils sont garés
et réparés.

Façonner

Lorsque le bijoutier donne
une forme particulière à l'or,
à l'argent, par exemple, on dit
qu'il les façonne.

Inondation

En cas de forte pluie,
les marais ou les cours d'eau
peuvent déborder sur
les champs ou dans
les maisons qui les entourent.
C'est une inondation.

Muscles

Les muscles se trouvent sous
notre peau. Ce sont eux qui
nous permettent de marcher,
courir et sauter.

Récolte

L'ensemble des produits de
la terre que l'agriculteur
recueille, comme le blé, le maïs
et les fruits, s'appelle la récolte.